游戏日

【美】罗莎·桑托斯◎著
【美】吉奥雅·法蒙吉◎绘
范晓星◎译

天津出版传媒集团
新蕾出版社

图书在版编目（CIP）数据

游戏日／（美）桑托斯（Santos,R.）著；（美）法蒙吉（Fiammenghi,G.）绘；范晓星译.
—天津：新蕾出版社，2014.1（2024.12 重印）
（数学帮帮忙·互动版）
书名原文：Play Date
ISBN 978-7-5307-5894-6
Ⅰ.①游…
Ⅱ.①桑…②法…③范…
Ⅲ.①数学-儿童读物
Ⅳ.①01-49
中国版本图书馆 CIP 数据核字(2013)第 270446 号
Play Date by Rosa Santos;
Illustrated by Gioia Fiammenghi.

津图登字：02-2012-228

出版发行：天津出版传媒集团
新蕾出版社
http://www.newbuds.com.cn
地　　址：天津市和平区西康路 35 号(300051)
出 版 人：马玉秀
电　　话：总编办(022)23332422
发行部(022)23332679　23332351
传　　真：(022)23332422
经　　销：全国新华书店
印　　刷：天津新华印务有限公司
开　　本：787mm×1092mm　1/16
印　　张：3
版　　次：2014 年 1 月第 1 版　2024 年 12 月第 23 次印刷
定　　价：12.00 元

无处不在的数学

资深编辑　卢　江

人们常说“兴趣是最好的老师”，有了兴趣，学习就会变得轻松愉快。数学对于孩子来说或许有些难，因为比起语文，数学显得枯燥、抽象，不容易理解，孩子往往不那么喜欢。可许多家长都知道，学数学对于孩子的成长和今后的生活有多么重要。不仅数学知识很有用，学习数学过程中获得的数学思想和方法更会影响孩子的一生，因为数学素养是构成人基本素质的一个重要因素。但是，怎样才能让孩子对数学产生兴趣呢？怎样才能激发他们兴致勃勃地去探索数学问题呢？我认为，让孩子读些有趣的书或许是不错的选择。读了这套“数学帮帮忙”，我立刻产生了想把它们推荐给教师和家长朋友们的愿望，因为这真是一套会让孩子爱上数学的好书！

这套有趣的图书从美国引进，原出版者是美国资深教育专家。每本书讲述一个孩子们生活中的故事，由故事中出现的问题自然地引入一个数学知识，然后通过运用数学知识解决问题。比如，从帮助外婆整理散落的纽扣引出分类，从为小狗记录藏骨头的地点引出空间方位等等。故事素材全

部来源于孩子们的真实生活，不是童话，不是幻想，而是鲜活的生活实例。正是这些发生在孩子身边的故事，让孩子们懂得，数学无处不在并且非常有用；这些鲜活的实例也使得抽象的概念更易于理解，更容易激发孩子学习数学的兴趣，让他们逐渐爱上数学。这样的教育思想和方法与我国近年来提倡的数学教育理念是十分吻合的！

这是一套适合5~8岁孩子阅读的书，书中的有趣情节和生动的插画可以将抽象的数学问题直观化、形象化，为孩子的思维活动提供具体形象的支持。如果亲子共读的话，家长可以带领孩子推测情节的发展，探讨解决难题的办法，让孩子在愉悦的氛围中学到知识和方法。

值得教师和家长朋友们注意的是，在每本书的后面，出版者还加入了“互动课堂”及“互动练习”，一方面通过一些精心设计的活动让孩子巩固新学到的数学知识，进一步体会知识的含义和实际应用；另一方面帮助家长指导孩子阅读，体会故事中数学之外的道理，逐步提升孩子的阅读理解能力。

我相信孩子读过这套书后一定会明白，原来，数学不是烦恼，不是包袱，数学真能帮大忙！

星期一

春季的一天，杰西卡在公共汽车站遇到了好朋友艾薇。

“哪天我们一起玩吧！”艾薇说。

“今天我有大号课。”杰西卡说，“明天好吗？”

“好的！”艾薇说。

杰西卡给她的大号老师吹奏了一首新歌，名字叫《六月花木繁茂》。

杰西卡的小猫格鲁乔藏在了阁楼里。

艾薇和她的哥哥奥托在玩接球。

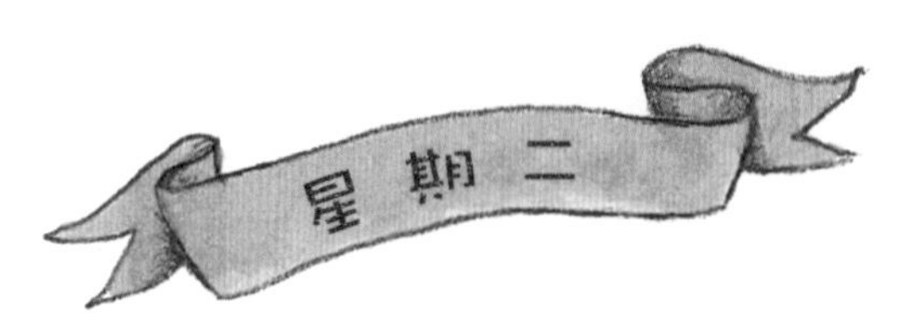

第二天，杰西卡放学回到家时，妈妈正在等她。

“我们得送格鲁乔去看兽医。”她说，“我觉得，它把玩具老鼠吃到肚子里了。”

“可怜的格鲁乔！”杰西卡说，“可是妈妈，我和艾薇的游戏日怎么办呢？”

“对不起，宝贝！”妈妈说，“给她打个电话，改到明天吧。”

玛驰医生为格鲁乔做了检查。

“不用担心。”他说，“可能只是闹肚子了，把它留在这里，明天再接回去吧，我再观察观察。”

“明天是星期三，对不对？”杰西卡问。

“没错。”玛驰医生回答，“明天一整天它都得待在这儿。”

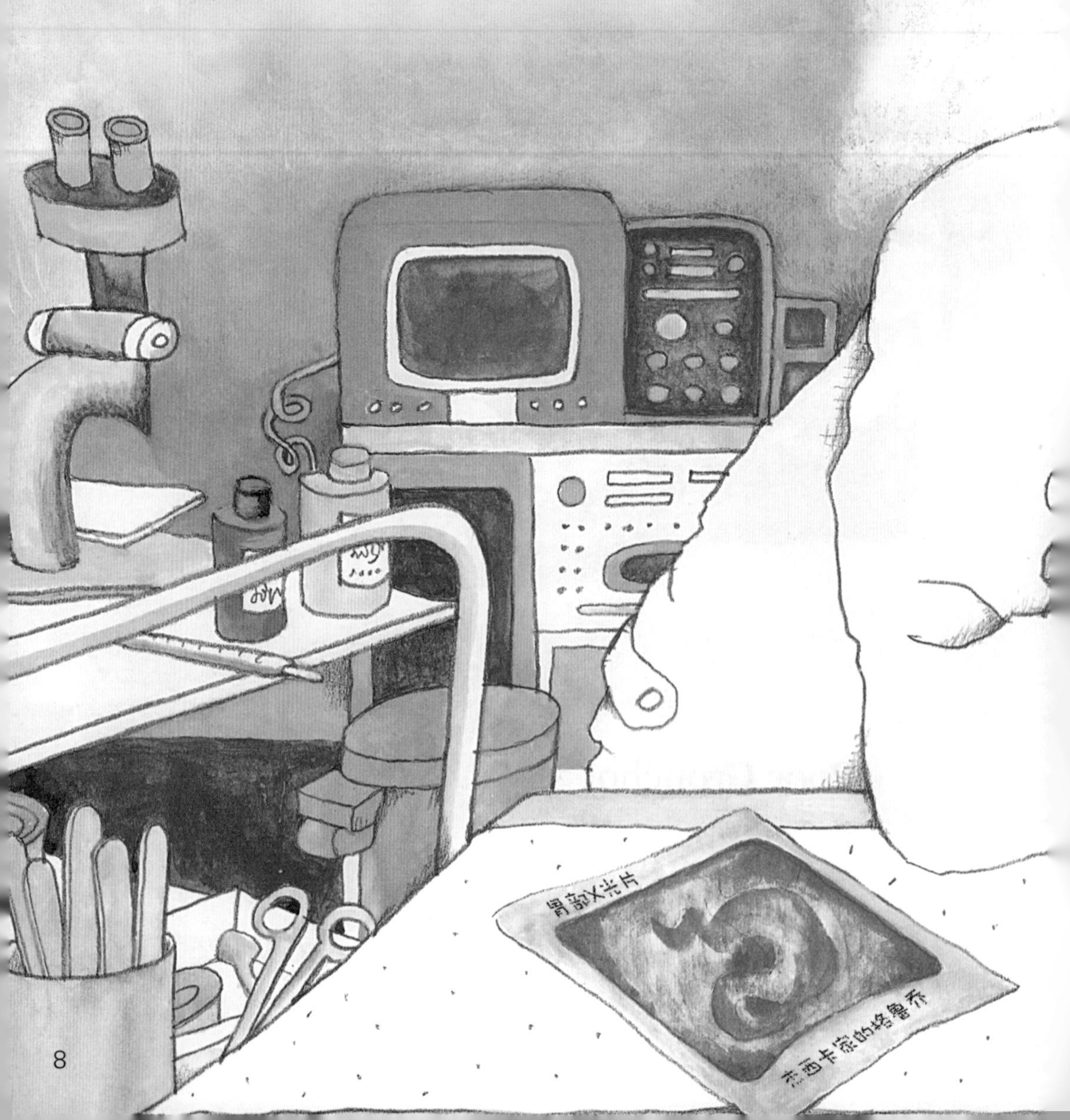

星期三，艾薇放学回到家时，她的妈妈正好在门口碰到了她。

“你猜谁来了？”她说，“特鲁迪姨妈，还有你的表妹艾普莉、梅和朱恩来啦！”

“哦，不！”艾薇说。

艾普莉朝艾薇吐舌头。

梅拉着艾薇的左胳膊不放，哭嚷着："陪我玩过家家！"

朱恩拉着艾薇的右胳膊，大声喊："和我玩接球！"

"妈妈！"艾薇说，"我今天还要和杰西卡一起玩呢。"

"抱歉了，乖女儿。"艾薇的妈妈说，"给她打电话改到明天吧。"

艾薇打完电话后，和艾普莉、梅玩起了过家家。

奥托和朱恩玩接球。

然后，大家一起玩捉迷藏。

艾薇和奥托藏在阁楼里。艾普莉、梅和朱恩怎么也找不到他们。

杰西卡到玛驰医生的办公室去接格鲁乔回家。它变得很烦躁。

星期四

星期四，艾薇刚回到家，电话就响了，是杰西卡打来的。

“你来和我玩吗？”艾薇问。

“我去不了啦！”杰西卡垂头丧气地说，“我病了。”

“哦，不！”艾薇说，“你怎么了？”

“妈妈觉得我得了流感。”杰西卡说，“明天应该就会好一些了。”

“那我们就可以一起玩了。”艾薇说。

“希望如此吧。”杰西卡说。

艾薇做了一张卡片，她写道："希望你快点痊愈。另外，代我向格鲁乔问好！"她把卡片放进杰西卡家的邮箱里。

格鲁乔和杰西卡做伴。她们两个都好喜欢艾薇做的卡片。

星期五，杰西卡给艾薇打电话。

“你猜怎么着？”杰西卡说，“我好多了！我们可以一起玩了。”

“我们不能一起玩了。”艾薇哑着嗓子说，“现在我病了！”

“哦，不！”杰西卡说，“也是流感吗？”

“我想是。”艾薇说，“我觉得应该和你得的那种一样。”

“那就是说，明天你也会好一些的！”杰西卡说，“也许到时我们就能一起玩了。”

“也许吧。”艾薇说，“我会给你打电话。”

杰西卡做了一张慰问卡片。她写道:“快快好起来吧!还有,格鲁乔也向你问好。”她把卡片放进艾薇家的邮箱里。

奥托给艾薇拿来一盆花。

妈妈给了她一杯姜汁和几块咸饼干。

爸爸给她读了一个故事。

艾薇开始觉得好多了。

星期六

星期六，艾薇感觉身体好了。她给杰西卡打电话，但是没有人接。于是，艾薇留了言。

"你好，杰西卡。"她说，"我今天好多了。我本来希望终于可以在今天实现咱们的游戏日了，可是你不在家！咱们都已经错过六次了，几乎整个星期都是这样！你到家就给我回电话，好吗？"

四月
星期日
星期一
星期二
星期三
星期四
星期五
星期六
1 理发
2
3
4
5 游戏日
6 游戏日
7 游戏日
8 游戏日
9 游戏日？
10
11
12
13
14
15
17
18 瑜伽
19
20
22
23 足球
24
25 瑜伽
26
30 足球

过了一会儿，艾薇和奥托帮妈妈整理花园。

奥托采了一些水仙花。

艾薇在清理花坛。“郁金香什么时候开呀？”她问道。

“再过四周左右吧。”妈妈说。

“不知道在那之前，我到底能不能和杰西卡有一天游戏日。”艾薇说。

“你们当然可以了。”妈妈回答，“从现在开始算，还有整整一个月呢。”

这时，电话响了。

“你好？”艾薇说。

“我收到你的留言了。”杰西卡说，“明天我们一起玩好吗？”

“当然好啦！”艾薇回答，她想了一下，接着说，“除非你去兽医那里，或者我的表妹来做客，又或者我们俩当中有谁生病了。”

“我们一起祈祷吧！”杰西卡说。

“来我家玩好吗？”艾薇问。

“好的，一言为定。”杰西卡说，“明天见。”

星期日

杰西卡吃早餐的时候，心里还在默默祈祷。这时，电话响了。

“哦，你好，艾薇！”妈妈说，“当然了！我告诉她。再见。”

“是不是我们的游戏日又泡汤了？”杰西卡问。

“不是的，艾薇就是想确认一下你是不是会去她家。”妈妈回答。

杰西卡长长地舒了一口气。

然后，妈妈把她送到了艾薇家。

艾薇来开门的时候，她怀里抱着一个灰灰的、毛茸茸的小东西。

“惊喜吧！”她说，“快来看我新养的小猫咪。”

“喵！”小猫轻轻地叫了一声。

“它真可爱！”杰西卡说，“它叫什么名字？”

“我给它起名叫星期日。”艾薇说，“因为今天是它的第一个游戏日。”

“但不是最后一个！”杰西卡说，“咱们再定一个游戏日吧，让它和格鲁乔一起玩。”

“好主意！”艾薇说，“星期一怎么样？”

日 期

杰西卡、艾薇和奥托用五月份的月历做游戏！

五月						
星期日	星期一	星期二	星期三	星期四	星期五	星期六
1	2	3	4	5	6	7
8	9	10	11	12	13	14
15	16	17	18	19	20	21
22	23	24	25	26	27	28
29	30	31				

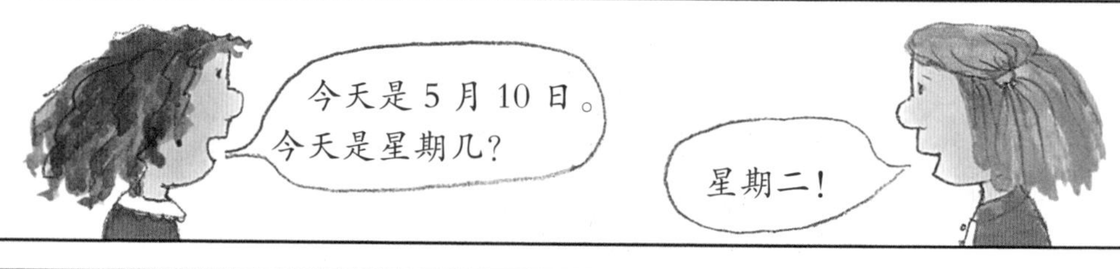

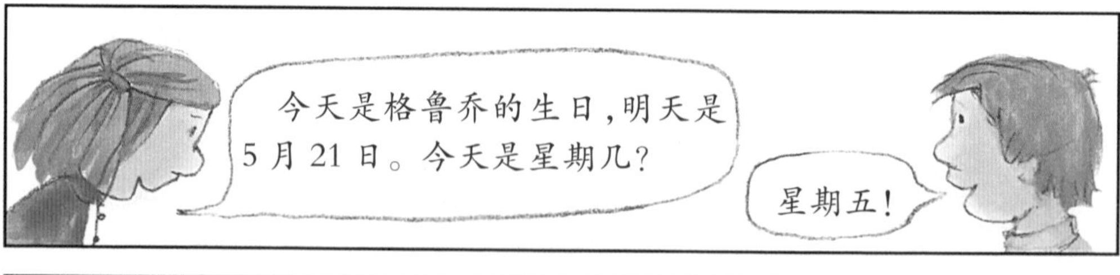

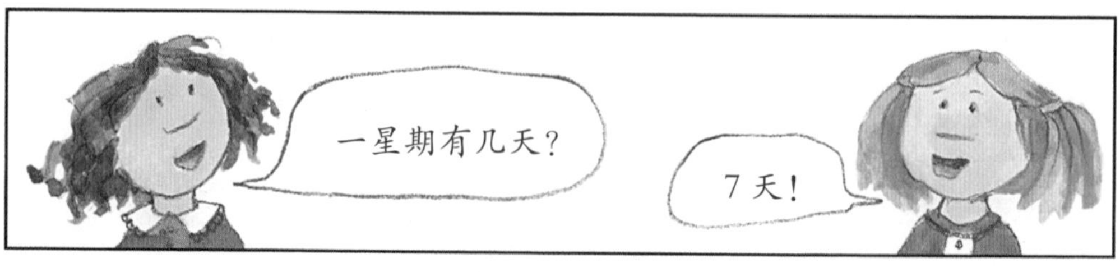

亲爱的家长朋友，请您和孩子一起完成下面这些内容，会有更大的收获哟！

提高阅读能力

- 阅读封面，包括书名、作者等内容。请孩子说说，“日期”这个词是什么意思？哪些日子对他来说很特别？书中的“游戏日”是什么意思？
- 读过这个故事后，请孩子根据插图，复述杰西卡一周做了哪些事？艾薇一周做了哪些事？请孩子按照一周 7 天的顺序来讲述。
- 请看第 31 页。杰西卡和格鲁乔能实现与艾薇和小猫星期一一起玩的愿望吗？（提示：请查看一下第 15 页的月历）。
- 在故事里，有一些关于日期的词语，比如，今天、明天、第二天、月、星期、日。请孩子找到这些词语，然后用它们造一个句子。

巩固数学概念

• 请孩子也来做做第 32 页上的游戏测验，记得把答案挡住哟。

• 请孩子数数，在某个特别的日子，比如生日或者节假日到来之前，还有几天、几星期，或者几个月？

• 如果可能，多收集几种样式的日历、月历和年历，和孩子一起看一看，日期、月份都是如何排列的。找一个月，将其中的日期逐一读出来。

生活中的数学

• 请孩子在年历上，找出自己的生日、父母的生日，还有每个季度的第一天。

• 请孩子记录一个月中每天的天气和活动，他可以用图画，或者用简单的符号来记录。

• 请孩子自己画一个月历，横着画六行，竖着画七列。孩子可以抄写，或者自己将每个日期写出来。请孩子将特别的日子标出来，并给这张月历配上有季节特色的图画。

我们来玩“昨天、今天、明天”的游戏吧,我来说昨天。

好啊,我说今天。

那我说明天吧。

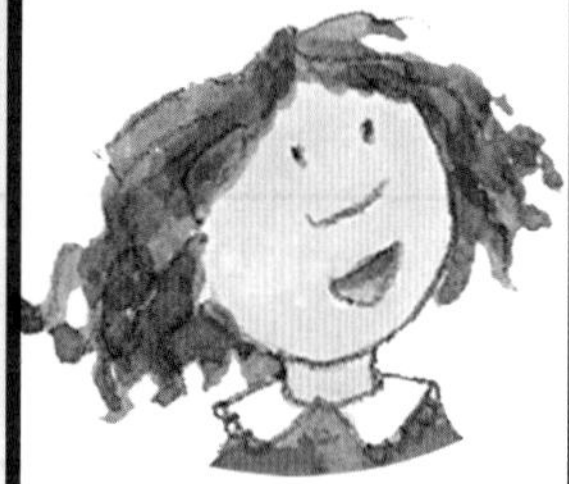

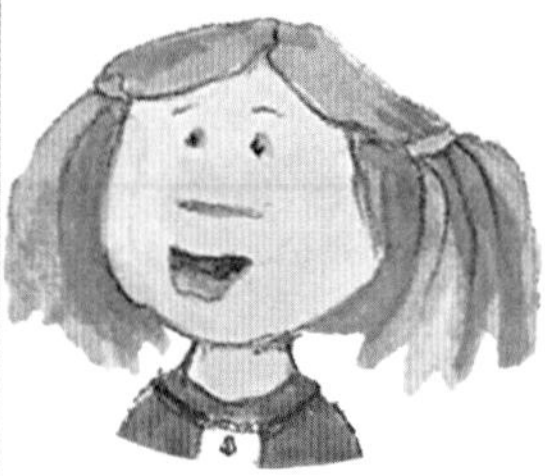

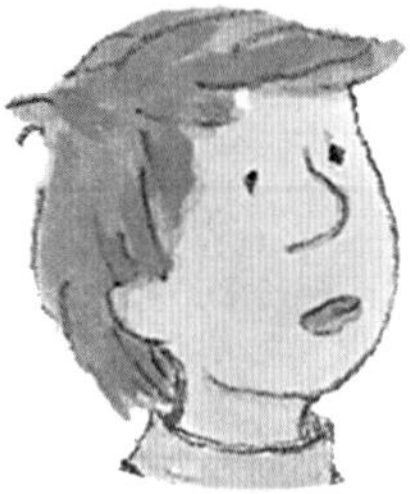

昨天是星期日	今天是星期◯	明天是星期◯
昨天是星期◯	今天是星期二	明天是星期◯
昨天是星期◯	今天是星期◯	明天是星期六
昨天是◯月◯日	今天是5月18日	明天是◯月◯日
昨天是6月1日	今天是◯月◯日	明天是◯月◯日
昨天是◯月◯日	今天是◯月◯日	明天是7月26日

杰西卡最喜欢七月，因为七月有暑假，她可以和爸爸妈妈去旅游，而且在这个月还有好几个重要的日子呢。你能根据后面的提示，帮杰西卡把特殊的日子在月历上标出来吗？

七 月						
星期一	星期二	星期三	星期四	星期五	星期六	星期日
	1	2	3	4	5	6
7	8	9	10	11	12	13
14	15	16	17	18	19	20
21	22	23	24	25	26	27
28	29	30	31			

7月17日是我的生日，还好旅行已经结束了，我要办个热闹的生日派对，把好朋友都请来。

7月的第二周是我的旅行周，我会和家人一起去海边度假，我要用蓝色的笔把这一周圈起来。

7月4日暑假就开始了，我要好好儿规划一下我的假期。

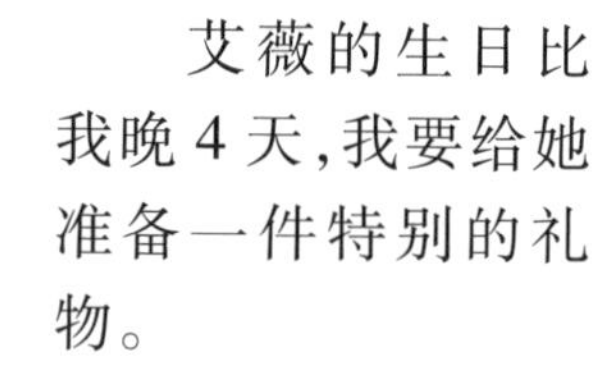

杰西卡要把好朋友的生日按照时间顺序记下来，快来帮帮她吧！

互动练习3

小朋友,你看到每张照片上的彩色图钉了吗?每个颜色都对应着杰西卡的一个好朋友，请你按照时间顺序填写好这些人的生日，并在圆圈里涂上相应的颜色吧!

生日日历	
好朋友	生日
○	月　　日
○	月　　日
○	月　　日
○	月　　日
○	月　　日

你的生日是几月几日？请你试着用下面的月历卡做一张你明年生日月的月历吧！

月						
星期一	星期二	星期三	星期四	星期五	星期六	星期日

互动练习 1:

昨天是星期日	今天是星期一	明天是星期二
昨天是星期一	今天是星期二	明天是星期三
昨天是星期四	今天是星期五	明天是星期六
昨天是 5 月 17 日	今天是 5 月 18 日	明天是 5 月 19 日
昨天是 6 月 1 日	今天是 6 月 2 日	明天是 6 月 3 日
昨天是 7 月 24 日	今天是 7 月 25 日	明天是 7 月 26 日

互动练习 2:

七　月						
星期一	星期二	星期三	星期四	星期五	星期六	星期日
	1	2	3	4	5	6
7	8	9	10	11	12	13
14	15	16	17	18	19	20
21	22	23	24	25	26	27
28	29	30	31			

互动练习 3:

生　日　日　历	
好朋友	生　日
朱　恩	3 月 17 日
艾普莉	4 月 11 日
梅	6 月 15 日
艾　薇	7 月 21 日
奥　托	9 月 24 日

互动练习 4:略

(习题设计:张　莹)

Play Date

One spring day Jessica met her friend Ivy at the bus stop.

"Let's have a play date," said Ivy.

"I have my tuba lesson today," Jessica said. "How about tomorrow?"

"Okay!" said Ivy.

Jessica played a new song for her tuba teacher. It was called *June is Bustin' Out All Over.*

Jessica's cat, Groucho, hid in the attic.

Ivy played catch with her brother, Otto.

When Jessica got home from school the next day, her mother was waiting.

"We have to take Groucho to the vet," she said. "I think it swallowed the toy mouse."

"Poor Groucho!" said Jessica. "But Mom, what about my play date with Ivy?"

"Sorry, honeybun," said Mom. "Call her and change it to tomorrow."

Doctor March examined Groucho.

"There's nothing to worry about," he said. "It's probably just an upset stomach. Leave it here until tomorrow, and I'll keep an eye on it."

"Tomorrow is Wednesday, isn't it?" said Jessica.

"That's right," said Doctor March. "All day."

When Ivy got home from school on Wednesday, her mother met her at the door.

"Guess who's here!" she said. "Aunt Trudy and your cousins—April, May, and June!"

"Oh, no!" said Ivy.

April stuck her tongue out at Ivy.

May pulled Ivy's left arm. "Play house with me!" she whined.

June pulled Ivy's right arm. "Play catch with me!" she yelled.

"Mom!" said Ivy. "I have to play with Jessica today."

"Sorry, sweetie pie," said Mom. "Call her and change it to tomorrow."

When she got off the phone, Ivy played house with April and May.

Otto played catch with June.

Then everybody played hide-and-seek.

Ivy hid in the attic with Otto. April, May, and June couldn't find them.

Jessica went to Doctor March's office to pick up Groucho. It was very grouchy.

On Thursday, just after Ivy came home, the phone rang. It was Jessica.

"Are you coming over to play with me?" asked Ivy.

"I can't," moaned Jessica. "I'm sick."

"Oh, no!" said Ivy. "What's wrong?"

"Mom thinks it's flu," said Jessica. "I should be better tomorrow."

"Then we can play together," said Ivy.

"I hope so," said Jessica.

Ivy made a card. She wrote, "Get well soon. P.S. Say hi to Groucho for me." She put it in Jessica's mailbox.

Groucho kept Jessica company. They both liked Ivy's card.

On Friday, Jessica called Ivy.

"Guess what?" she said. "I'm better! We can play together."

"We can't," croaked Ivy. "Now I'm sick!"

"Oh, no!" said Jessica. "Is it the flu?"

"I guess so," said Ivy. "I think it's the same one you had."

"That means you'll be better tomorrow," said Jessica. "Maybe then we can play."

"Maybe," said Ivy. "I'll call you."

Jessica made a get-well card. She wrote, "Feel better soon. P.S. Groucho says hi." She put it in Ivy's mailbox.

Otto brought Ivy a plant.

Mom gave her ginger juice and pretzels.

Dad read her a story.

Ivy began to feel better.

On Saturday, Ivy felt fine, so she called Jessica. There was no answer. Ivy left a message.

"Hi, Jessica," she said. "I'm all better. I was hoping we could finally have our play date today, but you're not home! This makes six tries—almost a week! Call me when you are back home, okay?"

A little later, Ivy and Otto helped their mother in the garden.

Otto picked daffodils.

Ivy cleaned up the flower beds. "When will the tulips bloom?" she asked.

"In about four weeks," said Mom.

"I wonder if I'll have a play date with Jessica before then," said Ivy.

"Of course you will," said her mother. "That's a whole month from now."

Then the phone rang.

"Hello?" Ivy said.

"Got your message," said Jessica. "Can we play together tomorrow?"

"Sure," said Ivy. She thought for a moment. "Unless you have to go to the vet, or my cousins drop in, or one of us is sick."

"Let's cross our fingers," said Jessica.

"My house okay?" asked Ivy.

"Deal," said Jessica. "See you tomorrow."

Jessica was eating breakfast with her fingers crossed when the phone rang.

"Oh, hello, Ivy," said Mom. "Of course! I'll tell her. Goodbye."

"Is our play date off again?" asked Jessica.

"No, Ivy just wanted to make sure you were coming," said Mom.

Jessica heaved a sigh of relief.

Then her mom dropped her off at Ivy's house.

When Ivy came to the door, she was holding something small and gray and fluffy.

"Surprise!" she said. "Meet my new kitten."

"Eeee!" squeaked the kitten.

"It's so cute!" said Jessica. "What's its name?"

"I'm calling it Sunday," said Ivy. "Because today is the kitten's very first play date."

"But not the last!" said Jessica. "Let's set up another play date for it and Groucho."

"Great idea!" said Ivy. "How about Monday?"